Blagues et gags
pour rigoler
à la récré

Avis aux lecteurs

Vous êtes nombreux à nous écrire
et nous vous en remercions.
Pour être sûrs que votre courrier arrive,
adressez vos blagues, vos gags
et autres histoires drôles à :

Bayard Éditions Jeunesse
Collection Délires
3/5, rue Bayard
75008 Paris

ILLUSTRATIONS INTÉRIEURES :
MANU BOISTEAU
ADAPTATION
BRUNO MUSCAT

Blagues et gags pour rigoler à la recrè

COLLECTION DÉLIRES

ASTRAPI

QUATRIÈME ÉDITION

BAYARD JEUNESSE

AVERTISSEMENT !

Attention, lecteur !
Si tu ne tiens plus sur ta chaise,
si tu pleures et que tu as du mal à respirer,
c'est normal : tu as une crise
de fouririte aiguë !
Alors, accroche-toi,
ce livre contient plus de 250 blagues
hilarantes concoctées spécialement
pour toi par le **magazine Astrapi** !

Deux amis discutent.

– Mon secret pour être en bonne santé, dit l'un, c'est de manger beaucoup d'ail !

L'autre se bouche le nez et lui répond :

– Oui, mais ça sent si fort que ça ne va pas rester très longtemps un secret.

●

M. et Mme Ragetournejebraque ont une fille. Comment s'appelle-t-elle ?

Réponse : Sylvie (si le virage tourne, je braque) !

Un pied se dispute avec l'autre :
– Toi, lâche-moi les baskets !
L'autre répond :
– Mais quel casse-pieds, celui-là !

La maîtresse demande à Léon :
– Dis-moi, Léon, quel est le futur de « je bâille »?
– Je dors.

Un caramel mou croise un autre caramel mou écrasé.
– Toi, tu as encore voulu jouer au dur !

Qu'est-ce qui a cent jambes, mais qui ne marche pas ?
Réponse : Cinquante pantalons !

Un homme est penché au-dessus du parapet d'un pont. Un policier s'approche et lui demande s'il a perdu quelque chose.

– Oui, j'ai laissé tomber mes lunettes dans la Loire.

– Mais ce n'est pas la Loire ici, c'est la Seine, lui répond le policier.

– Vous savez, moi, sans mes lunettes, je suis perdu.

Un homme s'approche d'un paysan qui travaille dans un champ :
– Pourquoi plantez-vous des presse-purée ?
– Pour éloigner les girafes...
– Mais il n'y a pas de girafes ici !
– Évidemment ! J'ai planté des presse-purée.

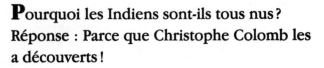

Pourquoi les Indiens sont-ils tous nus ?
Réponse : Parce que Christophe Colomb les a découverts !

Le père de Rémi est furieux en regardant le carnet de notes de son fils :
– Tu travailles lentement, tu comprends lentement, tu marches lentement... Y a-t-il quelque chose que tu fais vite ?
– Oui, je me fatigue très vite !

Pourquoi est-il impossible de rencontrer un chat noir la nuit ?
Réponse : Parce que, la nuit, tous les chats sont gris !

Au restaurant, le serveur demande à un client :
– Alors, que pensez-vous du steak maison ?
Le client, pas très heureux, lui répond :
– C'était ça, le steak maison ? Alors, j'ai dû tomber sur un morceau de porte !

– **T**u connais l'histoire de Toto aux toilettes ?
– Non.
– Moi non plus. Il avait fermé la porte à clé !

Bastien est tout fier :
– J'ai battu un record !
– Ah, oui ? Lequel ? demande Bob.
– J'ai réussi à faire en quinze jours un puzz-
le sur lequel il y avait marqué « 3 à 5 ans » !

●

Un Suisse tout seul monologue. Deux Suisses
ensemble dialoguent. Et trois Suisses, vous
savez ce qu'ils font ? Ils cataloguent. Vous ne
connaissez pas le catalogue des Trois Suisses ?

●

Un crapaud va voir une princesse.

– Mademoiselle, je suis un prince. J'ai été ensorcelé par une méchante sorcière, mais si vous m'épousez, je retrouverai mon apparence normale.

Émue, la princesse accepte. Le mariage a lieu et, au moment où elle lui passe son alliance, un grand « boum ! » retentit. À la place du crapaud, il y a maintenant un horrible prince bossu, borgne et couvert de poils. La princesse s'évanouit.

– Ben quoi, s'écrie le prince, je n'ai jamais prétendu que j'étais charmant !

Comment s'appelle la femme de Goldorak?
Réponse : Anne Orak (Anorak) !

Toto est en train de faire ses devoirs. Il est plongé dans son livre de géographie.
– Papa, Papa... Où est l'Australie?
Son père réfléchit une minute :
– Je n'en sais rien. Demande à ta mère, c'est elle qui range tout !

Un Indien envoie des signaux de fumée. Un visage pâle lui demande :
– À quoi sert cet extincteur à côté de vous ?
– C'est pour gommer mes fautes !

Dans un bureau de poste, un homme demande :
– Je voudrais un timbre à 2,50 francs.
– Voilà, Monsieur.
– Je vous dois combien ?

Un papa et son fils discutent :
– Dis, Papa, est-ce que tu continues de grandir ?
– Non, pourquoi me demandes-tu ça ?
– C'est parce que ta tête commence à dépasser de tes cheveux.

Leçon de géographie.
– Toto, cite-moi cinq animaux qui vivent en Afrique ?
– Euh... Trois girafes et deux éléphants ?

Alice et Charles jouent aux cartes. Alice est furieuse parce que Charles triche.
– Tu sais ce qui arrive aux tricheurs ?
– Oui, répond Charles, ils gagnent !

La maîtresse demande à Toto :
– Sur quoi poussent les citrons, Toto ?
– Sur les citronniers.
– Et les pommes ?
– Sur les pommiers.
– Et les dattes ?
– Sur les calendriers, M'dame !

Que fait monsieur Araignée pour parler à madame Araignée quand elle n'est pas là ?
Réponse : Il lui passe un coup de fil !

Maman gronde Lucien qui écrit son nom sur le papier peint :

– Lucien, je t'ai dit cent fois que c'était très sale d'écrire sur les murs...

– Mais, Maman, je n'écris que des noms propres !

Un policier arrête un chauffard qui vient de griller un feu rouge.
– Police nationale. Veuillez me montrer vos papiers. Vous n'avez pas vu le feu ?
– Que voulez-vous que j'y fasse ? Vous n'avez qu'à appeler les pompiers...

Qu'est-ce qui fait « ouah, ouah ! » et qui a six roues ?
Réponse : Un chien en patins à roulettes !

Un vétérinaire demande à une de ses clientes :
– Votre chat, il est tatoué ?
– Mais oui, répond la cliente, offusquée, il est à moué !

Un patient arrive chez son psychiatre. Celui-ci lui demande :
– Ça fait longtemps que vous vous prenez pour une poule ?
– Oh, voyons... Depuis que je ne suis plus un poussin !

Quel est le comble pour une patineuse ?
Réponse : C'est de ne pas cesser de se regarder dans la glace !

Sur les quais, deux marchands d'oiseaux discutent :

– Alors, dis-moi, Henri, comment vont les affaires en ce moment ?

Henri se frotte les mains et répond à son confrère :

– Bien... Très bien même. Je vends des pigeons voyageurs le matin, et le soir ils reviennent tous à la boutique !

Une petite fille sonne à la porte du pavillon de ses voisins. Le monsieur lui ouvre et lui demande ce qu'il peut faire pour elle.

– Dites, est-ce que je peux venir m'installer devant chez vous ?

– Pourquoi, mon enfant, tu n'es pas bien chez toi ?

– Ce n'est pas ça, Monsieur. C'est à cause de maman... Elle dit que vous jetez l'argent par les fenêtres !

La statue de la Liberté, elle est en quoi?
Réponse : Elle étend le bras!

M. et Mme Lefrigo ont cinq fils. Comment s'appellent-ils?
Réponse : Steve, Eudes, Hubert, Yann et Adam (S'tu veux du beurre, y'en a dans le frigo)!

Un Martien part en voyage. Sa femme lui demande :
– Tu ne prends pas ta soucoupe ce soir?
– Non, je ne suis pas dans mon assiette!

Pendant un match de boxe, un spectateur hurle :
– Vas-y, Marcel, dans les dents !
Son voisin lui demande :
– Vous avez parié sur Marcel ?
– Non, mais je suis le dentiste de Bill, son adversaire !

Une femme arrive chez son médecin. Son état ne s'est pas amélioré depuis sa dernière visite.

— Madame, dit le médecin, j'espère que vous avez suivi mon ordonnance.

— Vous êtes fou ? Elle s'est envolée par la fenêtre du 18ᵉ étage !

Pourquoi les squelettes n'ont-ils jamais de chance ?

Réponse : Parce qu'ils tombent toujours sur des os !

On révise les additions dans la classe de Toto.
– Trois et trois, ça fait quoi, Toto ?
– Ça fait match nul, M'sieur !

Un homme entre chez un marchand d'instruments de musique.
– Je ne comprends pas, dit-il, aucun son ne sort de cette trompette quand je souffle dedans.
– C'est normal, répond le vendeur, c'est un violon !

Un pigeon roux et un pigeon blanc sont sur un bateau. Le bateau fait naufrage. Seul le pigeon blanc est sauvé, pourquoi ?
Réponse : Parce que le pigeon roux coule (roucoule) !

VOTRE VACHE EST-ELLE malade ?

NON, ELLE EN AVAIT MARRE des TRAINS, ALORS elle REGARDE PASSER LES AVIONS...

Deux chiens se croisent dans la rue.
— Eh, Médor ! dit le premier, tu as vu qu'il y a un nouveau lampadaire ?
— Ouaf ! Il faut aller arroser ça !

Deux fantômes regardent la neige tomber par la fenêtre de leur château. L'un dit à l'autre :
– Brr, il risque d'y avoir du verglas avec ce froid ! Je crois que je vais mettre mes chaînes !

Pourquoi les pêcheurs ne sont-ils jamais gros ?
Réponse : Parce qu'ils surveillent leur ligne !

C'est l'heure du déjeuner. Deux amis routiers discutent à table :
– Alors, Maurice, ça roule ?
– Pas trop mal. Mais toi, tu m'as l'air un peu à plat.
– Oh, oui... Je suis vraiment crevé !

Pourquoi le chat s'en va-t-il quand on veut le prendre en photo ?
Réponse : Parce qu'on lui dit « souris » !

L'instituteur dit :

– Toto, tes devoirs sont mauvais. Je vais prendre rendez-vous avec ton père pour lui en parler.

– Il va être furieux, répond Toto. C'est lui qui les a faits !

Un petit garçon entre dans une pâtisserie. Il a l'air bien embêté en regardant les mille-feuilles à 4 francs.

— Est-ce que je peux t'aider ? lui demande la pâtissière.

— Euh... Vous n'auriez pas un cinq-cents-feuilles ? Je n'ai que 2 francs.

La maîtresse interroge Toto :

— Cite-moi deux animaux roses.

— Euh... Le flamant rose et le rhinocéros.

— Mais pourquoi le rhinocéros, Toto ?

— Parce que le rhino, c'est rose !

Papa vient voir Amélie :
– Tu sais, Amélie, on va avoir un bébé !
– Chic ! Vite, il faut le dire à maman !

Que risque un pompiste qui ne part jamais en vacances ?
Réponse : Un gros coup de pompe !

Discussion de cour de récré.
– Sais-tu comment on fait les petits-suisses ?
– Non.
– Eh ben, comme les petits Français !

Un Esquimau va pêcher. Il fait un trou dans la glace et il entend :
– Vous ne pêcherez rien ici.
– Qui me parle ? demande l'Esquimau.
– Le directeur de la patinoire.

TU M'AS L'AIR BIEN BON, MON ENFANT...

OUI, J'AI 20 SUR 20 PARTOUT !

Pourquoi les coqs ont-ils des ailes et les poules pondent-elles des œufs ?
Réponse : Parce que les coqs ont besoin d'elles et les poules ont besoin d'eux !

Un homme trouve un pingouin dans la rue.
Il l'emmène au commissariat.
– Qu'est-ce que je peux en faire? demande
l'homme.
– Emmenez-le au zoo, répond le commis-
saire.
Quelques jours plus tard, le commissaire
croise à nouveau l'homme et son pingouin
dans la rue.
– Mais je vous avais dit de l'emmener au zoo!
– Oui, il a beaucoup aimé. Ce soir, je l'em-
mène au cinéma!

Un homme rase les murs d'une rue. Il entre discrètement dans un immeuble de bureaux, se glisse jusqu'au troisième étage sans dire un mot et arrive devant la secrétaire. Il finit par lui demander :

– Bon... bonjour, Mademoiselle...

– Puis-je vous être utile ?

– Euh oui... Je cherche le président du Club des timides.

– Pas de problème, Monsieur. Vous le trouverez dans son bureau, dans le premier tiroir !

Dans ce petit village, le facteur fait sa tournée :

– Ah, Monsieur Durand, il y a une lettre qui vous arrive par avion.

Monsieur Durand regarde le facteur, l'air très mécontent :

– Ne vous moquez pas de moi. Je vous ai bien vu arriver à vélo !

À l'école, pendant la leçon de sciences naturelles :

– Quelqu'un sait ce qu'est un oiseau migrateur ?

– Moi, moi ! répond Victor. C'est un oiseau qui ne se gratte que d'un côté !

Quel est le prénom de mademoiselle Vaisselle ?

Réponse : Aude (eau de vaisselle) !

Le père d'Antoine apprend à conduire à son fils. Antoine est au volant :

– Papa, quand le feu est vert, je passe, c'est ça ?

– Oui, et quand je deviens tout blanc, tu t'arrêtes !

Dans un pensionnat de fakirs, l'un des pensionnaires arrive avec un énorme sac de clous. Un autre s'écrie :
– Super ! Ce soir, on va faire une **grosse bataille de polochons** !

– **V**ous, vous faites du cinéma !
– Non, je suis comptable.
– Alors, nous avons des amis communs.
– Je ne pense pas...
– Je suis pourtant sûr d'avoir vu votre tête ailleurs !
– Ça m'étonnerait, je l'ai toujours sur moi !

Une fourmi invite une coccinelle et un mille-pattes à goûter. La coccinelle est à l'heure, mais le mille-pattes n'arrive qu'à la nuit :
– Je suis désolé, mais il y a écrit en bas « Essuyez bien vos pieds avant de monter. »

Quel est le comble pour un pâtissier ?
Réponse : C'est d'avoir l'air tarte (l'air bête) !

Un fou va chez son médecin. Ses vêtements sont déchirés. Le médecin lui dit :
— Vous vous prenez encore pour un os ?
— Non, maintenant je sais que je suis un homme. Mais votre chien, lui, ne l'a pas compris !

Un policier arrête un chauffard qui vient de griller un feu rouge.
— Police nationale. Veuillez me montrer vos papiers. Vous n'avez pas vu le feu ?
— Si, mais c'est vous que je n'ai pas vu !

Julie et son père parlent généalogie :

– Papa, c'est vrai que tu es né dans le Cantal ?

– Oui, ma chérie.

– Et moi, je suis née dans quel fromage ?

Un jeune homme entre dans un magasin d'animaux. Il demande au vendeur :

– Je voudrais dix souris, quinze araignées et un kilo de mouches.

– Vous voulez faire un élevage ?

– Non, mais je déménage et je dois rendre l'appartement comme il était avant.

Quel est le comble pour un moustique ?
Réponse : C'est de piquer un roupillon !

Au cirque, deux clowns regardent la piste :
– Mais c'est Edgar Zorax, le dresseur de puces. Depuis quand est-il devenu dompteur d'éléphants ?
– Depuis que sa vue baisse !

Quels sont les deux frères Ate ?
Réponse : Tom et Pat (tomate et patate)

— **Q**u'est-ce qu'un polo ?
— C'est une chemisette à manches courtes.
— Et un chandail ?
— C'est un champs où on fait pousser de l'ail !

Qu'est-ce que la maman dinosaure racontait à ses petits le soir ?
Réponse : Une préhistoire !

●

Un touriste a un petit coup de barre pendant la visite d'un château. Il décide de se reposer un moment dans un fauteuil. Le gardien du château arrive, hors de lui :
– Mais, Monsieur, ne vous asseyez pas là ! C'est le fauteuil de Napoléon !
– Ça ne fait rien, répond le touriste, je le lui rends dès qu'il revient.

Un journaliste a flairé un bon sujet. Il va voir le maire d'un petit village et il lui demande :
– J'ai appris que vous aviez un centenaire dans votre village. Pourrais-je l'interviewer ?
– Oh, non ! Son père lui interdit de sortir de chez lui.

Un homme va voir son médecin :
– Docteur, il y a dix ans, vous m'avez conseillé d'éviter l'humidité pour soigner mes rhumatismes.
– Et ça a marché ?
– Oui, mais quand est-ce que je pourrai me laver à nouveau ?

Dans un asile, un fou s'est accroché au plafond par les pieds et par les mains. Le médecin-chef arrive et demande :

– Mais qu'est-ce qu'il fait là ?

L'infirmier répond :

– Il se prend pour une ampoule électrique.

– Mais faites-le descendre, c'est dangereux.

– Je veux bien, mais on ne va plus rien y voir !

Quand on fait un repas du tonnerre, quel dessert choisit-on ?

Réponse : Un éclair, bien sûr !

Un petit kangourou demande à sa maman :
– Dis, Maman, je peux mettre un ver luisant
dans ta poche? Je voudrais lire un peu avant
de dormir...

Quand est-il dangereux d'être treize à table?
Réponse : Quand il n'y a à manger que pour
douze !

On me met sur la table, on me coupe, mais on ne me mange pas. Qui suis-je ?
Réponse : Un jeu de cartes.

Dans un restaurant, un client, furieux, appelle le garçon :
– Jeune homme, il y a une mouche qui nage dans ma soupe.
– Ne vous inquiétez pas, Monsieur, l'araignée qui se promène sur votre cuillère n'en fera qu'une bouchée !

Un dentiste regarde, songeur, la bouche d'un de ses patients :

– Mmm... Nous allons faire un bridge. Mais je vous préviens, ça va vous coûter cher.

– Ah, parce que vous trichez, Docteur ?

Un chien blanc entre dans la mer Noire. Comment ressort-il ?

Réponse : Mouillé !

Un homme arrive au bureau des objets trouvés :
– Excusez-moi, j'ai perdu de vue un vieil ami...
Le guichetier le regarde et lui répond :
– Dans ce cas, allez plutôt au rayon lunettes.

Que fait un haltérophile quand il a soif?
Réponse : Il se désaltère (des haltères) !

Sur la plage, un monsieur, furieux, va voir
une dame :
– Dites donc, votre fils est en train d'enterrer
mon pique-nique dans le sable !
– Ah non, répond la dame, vous vous trom-
pez. Ce n'est pas mon fils, c'est mon neveu.
Mon fils, il est là-bas, c'est celui qui met de
l'eau sur votre serviette !

Comment dit-on « il fait froid » en japonais ?
Réponse : Icissakaï (ici ça caille) !

David raconte à Martial les problèmes qu'il a avec son nouveau téléphone :
– Je viens d'acheter un téléphone sans fil, et il ne marche pas.
Martial réfléchit un moment et lui répond :
– Ben, achète un fil...

Une araignée essaie d'attirer un petit moustique dans son piège :
– Viens, viens, mon joli, je vais t'apprendre à tisser.
– Ah toi, je te connais, répond le moustique, n'essaie pas de m'embobiner !

— **M**aman, dit Toto, j'ai vu deux chevals passer devant la maison !

— Tu te trompes, mon chéri. Ce ne sont pas des « chevals », ce sont des chevaux.

— Ah bon ? J'aurais pourtant juré que c'était des chevals !

Quel est le comble pour un serrurier ?
Réponse : C'est de trouver la clé de l'énigme !

Que dit un oignon qui croise un saule pleureur ?

Réponse : J'espère que ce n'est pas de ma faute !

Une souris hurle à un éléphant qui se baigne :
– Sors immédiatement !
L'éléphant sort de l'eau.
– Ça va, dit la souris, ce n'est pas toi qui as piqué mon maillot de bain !

Dans un café, une cliente râleuse interpelle le serveur :

– Holà, garçon... Apportez-moi vite un autre morceau de sucre.

Le garçon, énervé, s'étonne :

– Mais, Madame, vous m'en avez déjà demandé cinq !

– Oui, mais ils ont tous fondu dans mon thé !

Quelle est la différence entre un crocodile et un alligator ?

Réponse : C'est caïman la même chose !

Deux mille-pattes s'en vont bras dessus, bras dessous, bras dessus, bras dessous, bras dessus, bras dessous, bras dessus, bras dessous, bras dessus, bras dessous...

Lucie paie ses courses à l'épicier. Celui-ci se plaint :
– Ce billet est tout déchiré !
– Ne vous plaignez pas, vous m'avez vendu des pois cassés !

Mélanie demande à sa mère :
– Dis, Maman, comment appelle-t-on le petit d'un chien ?
– Un chiot, ma petite Mélanie.
– Et si c'est une fille ?

Chez un opticien, la vendeuse demande à une cliente :
– Vous voulez des lunettes pour le soleil?
– Non, pour moi seulement...

Un chevalier se perd dans la savane. Au bout de deux heures, il s'évanouit à cause de la chaleur. Un lion s'approche de lui et renifle son armure.
– Zut, dit-il, j'ai oublié mon ouvre-boîtes !

Le docteur dit à son patient :
— Pourquoi n'avez-vous pas pris votre médicament ?
— Mais, Docteur, j'ai suivi ce qui est écrit sur le flacon : « Tenir soigneusement fermé. »

Quel est le prénom de monsieur Arne ?
Réponse : Luc (lucarne) !

Un Esquimau attend devant son igloo. Tout à coup, il sort un thermomètre de sa poche et dit :
– Si elle n'est pas là à moins dix, je m'en vais !

Toto est au tableau. Il récite sa leçon de grammaire :
– Je... marche... tu... marches...
– Plus vite, Toto, lui dit la maîtresse.
– Il court, nous courons, vous courez...

Dans un restaurant très chic, un client fait appeler le chef. Il est furieux :

– Monsieur, c'est un scandale ! Il y a une mouche qui nage dans mon potage.

– Ne vous plaignez pas, Monsieur, répond le cuisinier. C'est que je vous ai mis plus de potage qu'aux autres clients. D'habitude, les mouches ont pied !

Quel est le comble pour un gentil cuisinier ?
Réponse : C'est de fouetter la crème et de battre les œufs !

— **C**'est bien beau, ces dessins sur le beurre, se plaint le client d'un restaurant, mais il y a un cheveu dessus...

– Rien d'étonnant, Monsieur, répond le cuisinier, je les ai faits avec mon peigne !

Papy rentre de la pêche. Mamie lui demande aussitôt :

– Alors, tu as pris quelque chose ?

– Oui, répond papy, j'ai pris froid...

— **O**uille, je me suis fait mal! dit Toto à Zézette.

— Ah bon?

— Oui, je suis tombé à plat ventre sur le dos!

Quelle ressemblance y a-t-il entre un gendarme et une cocotte minute?

Réponse : Quand ils sifflent, c'est cuit!

Maman surprend Claire en train de piocher dans la boîte de chocolats.

— Je vais t'apprendre à manger tous les chocolats!

— Je crois que je sais déjà! répond la fillette.

Aujourd'hui, leçon de botanique dans la classe de Toto. Le maître demande :
— Est-ce que quelqu'un sait pourquoi il y a un trou au fond des pots de fleurs ?
— Oui, moi, répond Toto. C'est pour prendre la température des plantes !

Un médecin dit à son patient :
— Ça fait un mois que je vous soigne pour une jaunisse, et ce n'est qu'aujourd'hui que vous me dites que vous êtes chinois !

Alexia révise sa leçon de piano. Sa mère s'approche d'elle et lui demande :
— Est-ce que tu t'es bien lavé les mains avant de jouer ?
— Ne t'en fais pas, je ne joue que sur les touches noires !

Toto est devant l'entrée du square. Il a l'air contrarié. Une dame passe et lui demande ce qui lui arrive.

– Madame, pouvez-vous m'ouvrir le portillon du square ?

– Voilà, mon enfant. Mais tu sais, demain, tu pourras l'ouvrir tout seul.

– Oui, répond Toto, surtout que demain la peinture sera sèche !

Un fou prend sa douche avec un parapluie.
Un infirmier lui demande :
— Mais pourquoi faites-vous cela ?
— C'est simple, j'ai oublié de prendre ma
serviette !

66

Quelle est la meilleure amie de Paul Ochon?
Réponse : C'est Laure Ayé (l'oreiller).

En plein soleil, un paysan monte une côte avec sa charrette tirée par son cheval. Arrivé en haut, le paysan s'écrie :
– Nom de d'là ! Je n'ai jamais eu aussi chaud de ma vie !
– Ben, moi non plus, dit le cheval.
– Hein? dit le paysan. C'est la première fois que j'entends parler un cheval!
– Ben, moi aussi, dit la charrette...

Un homme rencontre un de ses amis dans la rue. Il lui annonce, tout fier :
– Je travaille dans un bureau maintenant...
– Ah oui ? Et dans quel tiroir ?

Jacques est très pressé. Il a très peu de temps pour déjeuner aujourd'hui dans son restaurant préféré. Il appelle le serveur :
– Garçon, un steak dare-dare !

Quand j'ai chaud, je travaille. Quand j'ai froid, je me repose. Qui suis-je ?
Réponse : Le fer à repasser.

Quel est le comble pour un charcutier?
Réponse : C'est d'avoir un caractère de cochon.

Petit Louis regarde son père dormir sur le
fauteuil du salon. Il est en train de ronfler
bruyamment.
– Maman, Maman, Papa dort à voix haute!

Julie est en train de discuter avec sa voisine en classe. La maîtresse s'en aperçoit et elle lui demande :
– Quelle est la cinquième lettre de l'alphabet, Julie ?
– Euh...
– Très bien, Julie. Il me semblait pourtant que tu ne suivais pas !

Quel est le comble pour un haltérophile ?
Réponse : C'est de ne manger que des petits pois !

UN ZÉRO RENCONTRE UN HUIT

TIENS, TU AS MIS UNE CEINTURE AUJOURD'HUI !

Madame Moustique met son fils en garde :
– Et, surtout, tu fais très attention aux hommes, ils ne nous aiment pas du tout.
– Mais, Maman, ce n'est pas vrai. Ils applaudissent toujours quand je passe à côté d'eux !

La maman chameau dit à son petit :
– Si tu n'es pas sage, tu seras privé de désert !

Un touriste visite un château en Écosse. Il demande à un gardien :
– Dites, mon brave, est-ce qu'il y a des fantômes ici ?
– Non, pas depuis trois cents ans que je suis gardien de ce château !

Dans la rue, deux passants se rencontrent.
– Tiens, bonjour, Alfred ! Comme tu as changé !
– Mais je ne m'appelle pas Alfred !
– Ah, tu as aussi changé de prénom...

De quel pays viennent les fées les plus douées ?

Réponse : De Chine, parce qu'elles se servent de deux baguettes !

Pourquoi madame Caméléon se fâche-t-elle souvent avec son fils ?

Réponse : Parce qu'il lui en fait voir de toutes les couleurs !

Un journaliste interviewe un grand chirurgien :
– À quel âge avez-vous fait votre première opération ?
– Mmm... À six ans. Je crois que c'était une addition !

Quel est le comble pour un grand couturier ?
Réponse : C'est de se faire épingler !

Tom et Romuald, les deux cancres de la classe, sortent d'un contrôle.

– J'ai rendu feuille blanche, se plaint Tom.

– Moi aussi, dit Romuald.

– Zut! On va encore croire qu'on a copié l'un sur l'autre!

Quel est le comble pour un marteau?

Réponse : C'est d'être maigre comme un clou!

La maîtresse se rend chez Toto et elle lui demande :

– Tes parents sont-ils là?

– Ils étiez là, mais ils sont partis, M'dame!

– Ils étiez? Ils étaient là, Toto! Et ta grammaire?

– Elle est dans son fauteuil et elle regarde la télé!

Une petite fille arrive, affolée, de l'école :
– Maman, Maman... Emmène-moi vite chez le médecin, la maîtresse m'a dit de soigner mon écriture !

Pourquoi les planchers des musiciens sont-ils toujours brillants ?
Réponse : Parce que ce sont des sols faciles à cirer (sol fa si la si ré) !

Un monsieur voit sur la porte d'un restaurant la pancarte : « Ici, on sert de tout. » Il entre et demande :

– Je voudrais une tranche de baleine grillée, s'il vous plaît.

– Ce n'est pas possible, Monsieur.

– Ah, mais c'est que vous ne servez pas de tout, alors ?

– Si, mais je ne vais pas entamer la baleine pour une personne !

Quel est le pompier qui a le plus gros casque ?

Réponse : C'est celui qui a la plus grosse tête !

Depuis le début du voyage en train, une vieille dame n'arrête pas de fixer sa voisine d'en face. Intriguée, elle finit par lui dire :

— Ce n'est pas la peine de me parler, je suis sourde.

— Mais je ne vous parle pas, Madame, je mâche un chewing-gum.

Quelle est la différence entre un jongleur et un facteur ?

Réponse : Aucune. Il leur faut l'adresse à tous les deux !

Deux libellules discutent dans une mare :
– Tu as vu la grenouille ? Elle est complète-
ment sourde.
– Comment le sais-tu ?
– Dès qu'on lui parle, elle dit coâ, coâ...

Quel est le comble pour un coiffeur ?
Réponse : C'est de raser les murs !

Deux jeunes femmes discutent.

– Comment as-tu appelé ton bébé? demande la première.

– Moustache-à-chat.

– Mais tu es folle! Tout le monde va se moquer de lui.

– Pourquoi? Tu as bien appelé ta fille Barbara!

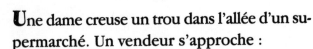

Une dame creuse un trou dans l'allée d'un supermarché. Un vendeur s'approche :

– Mais... qu'est-ce que vous faites, Madame?

– Je cherche les prix les plus bas!

Serge visite l'atelier d'un de ses amis, qui est peintre. L'un des tableaux lui plaît beaucoup. Il décide de l'acheter et de l'emporter tout de suite chez lui.

– Attention, le prévient le peintre, je crains que mon tableau ne soit pas tout à fait sec...
– Ce n'est pas grave, je porte une vieille veste !

●

Quel est le comble pour deux cow-boys ?
Réponse : C'est de marcher en file indienne !

Un homme prend un taxi. À la fin de sa course, il s'apprête à payer :
– Euh, vous ne pourriez pas reculer un petit peu ? Je n'ai pas assez d'argent !

L'instituteur de Victor rend les copies :
– Victor, ta rédaction sur le chien ressemble mot pour mot à celle de ta sœur Victoria.
– C'est normal, M'sieur, nous avons le même chien !

Un homme sonne à la porte d'un passionné
de piano :
– Bonjour, Monsieur, je suis l'accordeur de
piano.
– Mais... je ne vous ai pas appelé !
– Je sais, ce sont vos voisins qui m'envoient.

Dans cette crêperie, le service n'est pas très rapide. Une cliente commence à s'impatienter :

— Dites-moi, j'ai commandé une crêpe beurre-sucre. Ce sera long ?

— Non, Madame, répond le serveur, agacé. Les crêpes sont toujours rondes !

Lulu demande à Sissi :

— Qu'est-ce que tu auras en cadeau pour ton anniversaire ?

— En cas d'eau ? Un parapluie !

Quelle est la différence entre un miroir et un bavard ?

Réponse : Le bavard parle sans réfléchir et le miroir réfléchit sans parler !

Chloé rentre de l'école :

— Maman, qu'est-ce que c'est que la couleur « brale » ?

— Ça n'existe pas.

— Pourtant, la maîtresse, elle a parlé de la colonne verte et brale !

À quel moment une vache devient-elle une carte ?

Réponse : Quand elle est lasse de trèfles (l'as de trèfle) !

Pourquoi l'Angleterre et la France sont-elles si près ?

Réponse : Parce qu'elles se tiennent par la Manche !

Deux amies parlent de leurs efforts pour maigrir :

– Est-ce que tu as essayé le nouveau régime Vitetoutefine ?

– Ah, oui, ne m'en parle pas...

– Et combien as-tu perdu ?

– Tout mon argent !

Muriel demande à son oncle :
– Es-tu coiffeur, tonton ?
– Non, pourquoi ?
– Parce que maman dit que tu frisais la cinquantaine et que tu allais nous raser tout l'après-midi.

Au moment où son client lui règle la note pour un dentier, un dentiste a une mauvaise surprise :
– Mais... mais... Vous me payez avec de faux billets !
– C'est normal, vous m'avez mis de fausses dents !

Au coin d'une rue, un malfrat accoste une jeune fille :
– La bourse ou la vie, Mademoiselle.
– Je suis désolée, Monsieur, mais je suis nulle en devinettes !

La maîtresse n'est pas contente, Toto oublie trop souvent ses affaires chez lui.
– Toto, tu me copieras cent lignes.
– Impossible, répond Toto, je n'ai pas de règle !

Quel est le coup qui rend heureux ?
Réponse : Le coup de foudre !

Deux copines papotent :
– Je ne dors jamais sans mes lunettes.
– Ah bon ? Et pourquoi donc ?
– Sans elles, je ne reconnais personne dans mes rêves !

Quel est l'insecte qui arrive toujours le premier à la course ?
Réponse : Le pou, parce qu'il est toujours en tête !

La femme d'un gangster s'étonne :
– Tu mets un silencieux à ton revolver ?
– Oui, je vais faire un hold-up dans une bibliothèque !

Rémi est plongé dans l'annuaire du téléphone. Son copain Nicolas lui demande :
– Alors, il est bien, ce livre ?
– Bof, il y a beaucoup de personnages, mais pas d'action !

Un petit cornichon demande à son père :
– Papa, c'est quoi, un concombre ?
– C'est un cornichon comme nous, mais il est trop costaud pour qu'on puisse le lui dire !

Pourquoi les savants ont-ils des trous de mémoire ?
Réponse : Parce qu'ils se creusent la tête !

Un petit garçon aborde une dame :
— M'dame, c'est quoi comme fourrure, ça ?
— C'est du synthétique, répond la dame.
— Et ça vit où, ces animaux-là ?

Révision de la table de multiplication. Le maître demande à Toto :
— 268763258 multiplié par 232694, ça fait combien ?
— Beaucoup, M'sieur !

Un matin, un homme arrive en courant chez son médecin :
— Docteur, Docteur... C'est terrible ! J'ai fait un horrible cauchemar : on m'obligeait à manger des spaghettis. Et quand je me suis réveillé, je n'ai pas pu retrouver mes lacets !

La maîtresse interroge Toto, qui reste muet.
Elle lui dit :
— Alors, Toto, ma question t'embête ?
— Ce n'est pas la question qui m'embête.
C'est la réponse !

Sur quoi les journaux esquimaux sont-ils imprimés ?
Réponse : Sur du papier glacé !

À la plage, Gégé a envie de prendre un petit bain. Il demande à Manu :
– Tu ne te baignes pas, toi qui as une santé de fer ?
– Tu es fou ! répond Manu. J'ai trop peur de rouiller !

Quel est le comble pour un torero ?
Réponse : Que le taureau soit vache !

Deux amies discutent dans la rue. L'une d'elles ne se sent pas bien.
– Mais pourquoi ne vas-tu pas voir ton médecin?
– Parce qu'il m'a prise en grippe!

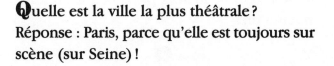

Quelle est la ville la plus théâtrale?
Réponse : Paris, parce qu'elle est toujours sur scène (sur Seine)!

Le juge demande à l'accusé :
— Alors, vous n'avez jeté que des tomates à la figure de votre voisin ? Et comment expliquez-vous les bosses ?
— Ben... elles étaient en conserve.

Au restaurant, un homme rouspète :
— Alors, garçon, mon andouille n'arrive pas !
— Monsieur ne m'avait pas dit qu'il attendait quelqu'un !

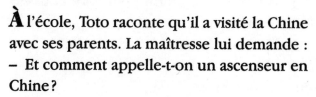

À l'école, Toto raconte qu'il a visité la Chine avec ses parents. La maîtresse lui demande :
– Et comment appelle-t-on un ascenseur en Chine ?
– En appuyant sur le bouton, M'dame !

Quel est le comble pour un opticien ?
Réponse : C'est d'avoir peur des serpents à lunettes !

Un monsieur dit à son coiffeur :
– Je voudrais une lotion pour faire pousser les cheveux.
– Celle-ci marche très bien. Ce matin, j'ai laissé tomber une goutte sur mon peigne, et il est devenu une brosse !

Peut-on monter en bas ?
Réponse : Oui, et même en chaussettes !

La mère de Toto entre dans la cuisine, horrifiée. Il y a du lait partout sur le sol.
– Mais, Toto, je t'avais pourtant dit de surveiller l'heure !
– Ben, oui, il était très précisément 11 h 02 quand le lait a débordé !

Mamie demande à sa petite fille :
– Chérie, as-tu fermé la porte de la cage des perruches ?
– Ne t'inquiète pas, elles ne risquent pas de s'enrhumer !

Romain raconte sa journée d'école à son père :
– Tu sais, Papa, aujourd'hui on a visité une ferme et il y avait un cochon qui faisait le même bruit que toi quand tu dors !

Mamie discute avec Toto :

– Tu sais, Toto, à ton âge je ne mentais jamais

– Et tu as commencé à quel âge ?

Un policier arrête un chauffard pour excès de vitesse :

– Vous rouliez à combien ?

– À deux, répond le chauffard, mais si vous voulez monter avec nous, il reste de la place.

Qu'est-ce qui est invisible et qui sent la carotte ?

Réponse : Un pet de lapin !

Quel est le comble pour un gendarme?
Réponse : C'est d'arrêter les oiseaux parce qu'ils volent!

Aujourd'hui, on étudie le Moyen Âge dans la classe de Romain.
– Pourquoi Charlemagne a-t-il inventé l'école?
Romain lève le doigt :
– Parce que, à son âge, il ne risquait plus d'y aller!

Quelle ressemblance y a-t-il entre un parachute et l'humour?
Réponse : Quand on en n'a pas, on s'écrase!

— **U**n homme passe pour la quatrième fois devant un policier au volant de sa voiture.
— Pourquoi tournez-vous depuis ce matin autour de l'hôpital? lui demande le policier.
— Par prudence. C'est ma première leçon de conduite.

Quel est le comble pour le chameau ?
Réponse : C'est de ne pas bosser !

Un couple arrive au guichet d'un théâtre :
– Bonjour, je voudrais deux places, s'il vous plaît.
– Pour *Roméo et Juliette* ? demande la guichetière.
– Non, pour ma femme et pour moi.

Au cinéma, un homme tapote sur l'épaule de son voisin de devant.

– Euh... Excusez-moi, Monsieur, mais vous n'auriez pas vu mon chewing-gum traîner par terre ?

– Et c'est pour ça que vous me dérangez ?

– C'est que... il y a mon dentier avec !

Un petit garçon s'approche d'un fermier qui trait une vache :

– Dites, Monsieur, vous les vidangez tous les combien, vos vaches ?

Quelle heure est-il quand une horloge sonne treize coups?
Réponse : L'heure de la réparer!

Qui naît grand et meurt tout petit?
Réponse : La bougie!

J'ai quatre pieds, mais je ne marche pas. J'ai une tête, mais je n'ai pas de bouche ni d'yeux. Qui suis-je?
Réponse : Le lit!

C'est l'heure de la visite des médecins à l'hôpital. L'un d'entre eux s'arrête devant un patient.
– Avez-vous de la température?
– Eh bien, plus maintenant! répond le malade. L'infirmière vient de me la prendre!

Cʼest le jour de la leçon de sciences naturelles dans la classe de Toto. Le maître a apporté un beau panier de champignons.

– Tous ceux-là sont comestibles... Est-ce que quelqu'un peut me citer le nom d'un champignon mortel ?

Toto lève la main :

– L'accélérateur, M'sieur !

Un homme plonge dans l'eau tout habillé. Pourquoi n'a-t-il pas les cheveux mouillés ?
Réponse : Parce qu'il est chauve !

Quel est le comble pour un journal?
Réponse : C'est de ne pas être à la page !

Qu'est-ce qui est pire qu'une girafe qui a mal
à la gorge?
Réponse : Un mille-pattes qui a mal aux pieds !

Aujourd'hui, leçon d'histoire dans la classe
de Toto.
– Le crocodile descend du dinosaure.
L'homme descend du singe. Et le singe, il des-
cend de qui, Toto? demande la maîtresse.
– Il descend de l'arbre, Madame !

Un homme tout pâle arrive dans le cabinet de son médecin :

– Docteur, je suis malade comme un chien. J'ai une fièvre de cheval et un chat dans la gorge.

– Eh bien, répond le médecin, allez voir un vétérinaire !

Leçon de poésie.

– Quand un poème n'est pas en vers, il est en quoi ? demande le maître.

– Il est en plastique, M'sieur ! répond Toto.

Il saute, mais il n'a ni bras, ni pieds, ni tête.
Qui est-ce?
Réponse : Le pop-corn!

●

Dans une salle de cinéma, deux spectatrices
papotent depuis le début du film. À un moment, le spectateur assis devant se retourne,
très énervé :
– Écoutez, Mesdames, je n'entends vraiment
rien.
– Et alors, ça vous regarde, ce qu'on dit?

— **P**apa, tu n'as pas cinq francs? C'est pour une vieille dame.

— C'est bien d'aider les pauvres, Toto! Et où est-elle, cette vieille dame?

— Là-bas, elle vend des glaces!

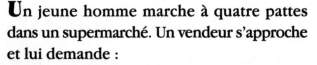

Un jeune homme marche à quatre pattes dans un supermarché. Un vendeur s'approche et lui demande :

— Vous avez perdu quelque chose, Monsieur?

— Oui... L'équilibre!

Qu'est-ce qui vient toujours avec toi à la piscine et qui n'est jamais mouillé?
Réponse : Ton ombre!

Maman regarde Ben et Lucie jouer dans la neige. Alors que Ben s'approche d'elle avec sa luge, elle lui demande :
– Ben, tu prêtes ta luge à ta sœur?
– Bien sûr, Maman. Elle la prend pour monter la pente, et moi, pour la descendre!

Le cuisinier d'un restaurant vient faire le tour des tables pour demander aux clients ce qu'ils ont pensé de leur repas.

– Alors, comment avez-vous trouvé votre bifteck, Monsieur?

Le client, très mécontent, répond :

– En soulevant une frite, je crois!

Trois amis se disputent :

– Mais quel âne!

– Espèce de dinde...

– Quelle tête de cochon!

Un quatrième ami passe la tête par la porte :

– He, vous trois, la ferme!

Dans quel cas croiser un chat porte-t-il malheur?

Réponse : Quand on est une souris!

Il est midi. Jacques s'approche d'Albert, qui est en train de frapper une baguette de pain contre un mur.

— Mais, Albert, qu'est-ce que tu fais?
— Tu ne vois pas? Je casse la croûte!

Dans un restaurant, un homme passe sa commande :

– Je voudrais des pâtes à la sauce tomate, un couscous royal avec des frites, le plateau de fromages, et votre grand chariot de desserts.

– Euh.. Et avec ça, qu'est-ce que Monsieur prendra ?

– Du ventre, mon ami, du ventre...

Maman raccroche. Elle vient d'avoir l'oncle Clément au bout du fil. Elle dit à Émilie, qui se trouve à côté d'elle :

– Oncle Clément, il a vraiment l'accent du Midi.

– Et nous, répond Émilie, on a plutôt l'accent du matin ou du soir ?

Un serveur présente les spécialités du jour à un client :
– Aujourd'hui, j'ai la langue brouillée, les pieds panés et le foie frit.
– Oui, oui, répond le client, vous me parlerez de vos maladies après. J'ai faim, moi !

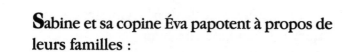

Sabine et sa copine Éva papotent à propos de leurs familles :
– Chez moi, dit Sabine, on a tous le même nez !
– Ça alors ! répond Éva, chez nous, on a chacun le nôtre !

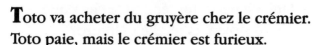

Toto va acheter du gruyère chez le crémier. Toto paie, mais le crémier est furieux.
– Ta pièce est trouée !
– Ben, votre fromage aussi !

Le fils d'un gangster rentre de l'école et dit à son père :
– Tu peux être fier de moi ! La maîtresse m'a interrogé pendant une heure...
– Et alors ?
– Je n'ai rien avoué !

Une dame arrive chez son charcutier :
– Vous avez des pieds de porc ?
– Oui, bien sûr, lui répond le charcutier.
– Ah, très bien, et quelle pointure ?

fin

Tu as aimé **sourire et rire ?**

Alors les autres titres de sont pour toi :

Impression réalisée sur CAMERON par

BRODARD & TAUPIN

GROUPE CPI

La Flèche
en mars 2001

Imprimé en France
N° d'Éditeur : 6730 – N° d'impression : 6646